THE BROONS

Price
£5.99

D.C. THOMSON & CO., LTD., GLASGOW:LONDON:DUNDEE

Printed and published by D.C. Thomson & Co., Ltd., 185 Fleet Street, London EC4A 2HS
© D.C. Thomson & Co., Ltd., 2007.
ISBN 978 1 84535 316 2

There's just a wee bit lack o' cheer —
Tae celebrate a brand new year.

Hen follows his safety checks tae the letter —

Will things work oot? Ye should ken better!

Paw kens whit tae do —

Tae gie Granpaw a clue.

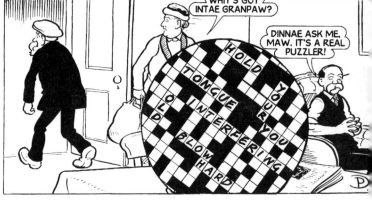

When on a antique quest —
  The auld fowk ken whit's best.

Just look who's late —

For a memorable date.

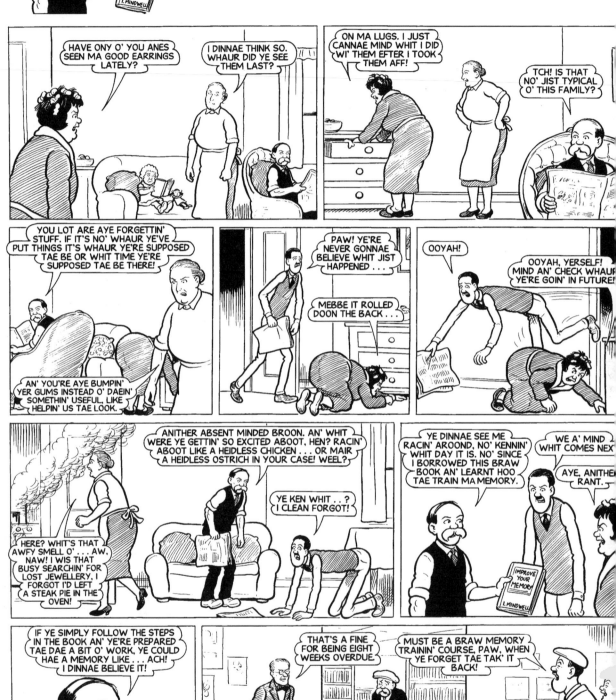

There's very clearly nae debatin' —
Wha's best at argument creatin'.

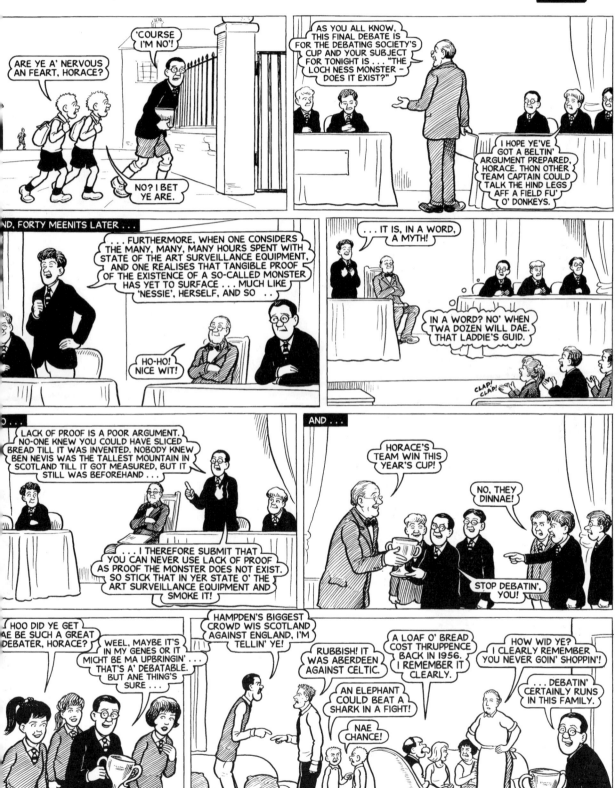

Maw an' Paw are sunk —

When the twins do a bunk.

Hen's got tae stop —

Doon at the cop shop.

Joe thinks he will be all right —
      Ootside in the cauld a' night.

Whit goes up must come doon —
'Specially if it's Daphne Broon.

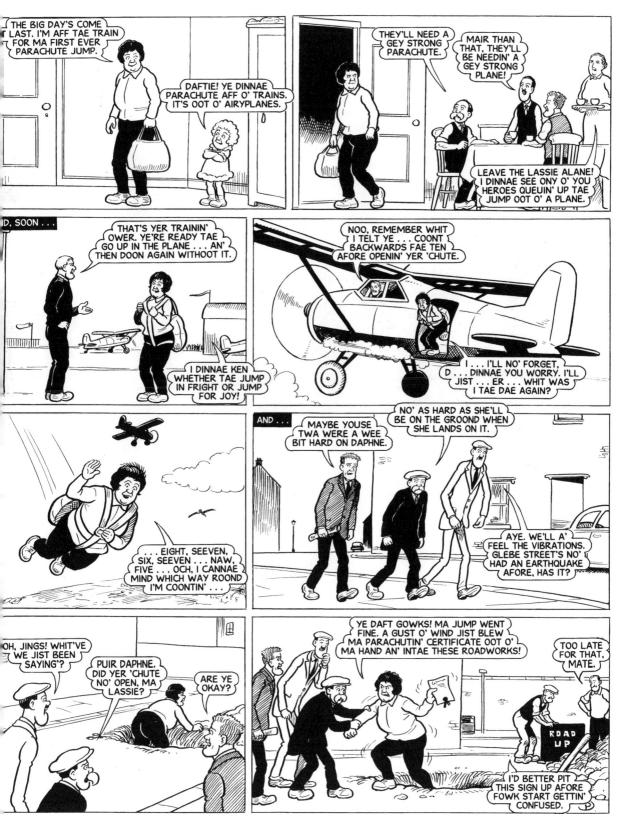

There'll no be ony weeds —

When the Bairn plants some seeds.

Parkie's in a rage —
           'Cause fowk won't act their age.

Paw's really shocked —

When the car door's no' locked.

Who is the gal —
That's the Bairn's special pal?

Puir Joe kens he cannae —
Beat the trainer's granny.

The twins are no' impressed tae hear —

What things were like in yesteryear.

WILL YE TAK' A LOOK AT THESE YOUNG ANES, WI' THEIR BIKES AN' SCOOTERS, EH?

AYE, DINNAE KEN THEY'RE BORN, DAE THEY?

NAW!

NO' LIKE US AS BAIRNS.

WHEN I WIS A WEE LADDIE, WE WERE SAE POOR THAT THE ONLY TOYS I HAD TAE PLAY WI' WERE A STICK AN' A HOOP . . . MIND, IT WIS THE BEST STICK IN THE STREET.

COME ON, HOOPIE! AN' YOU, STICKIE. JIST ALONG TAE THE NEW TRAM DEPOT AN' BACK!

THEN THE CAULD, CAULD WINTER CAME AN' MA FAITHER HAD TAE BURN MA WEE STICK TAE KEEP US A' WARM.

CAN I AT LEAST HAE MA HOOP BACK, FAITHER?

SORRY, LAD, WHIT DAE YE THINK I HAD TAE SELL TAE BUY THE MATCHES?

YE THINK THAT'S BAD, DAE YE? WHEN I WIS WEE, WE WERE SAE MUCH POORER THAN THAT. WE HAD TAE LIVE IN A HOOSE SAE DAMP THE MICE WORE SNORKELS AN' FLIPPERS.

A-CHOO!

ACH, WHEESHT WI' THE SOB STORIES . . . AN' LET ME TELL YE A REAL HARD LUCK TALE, O' HOW I ONLY GOT HAUF AN EDGIE-KATION, SEEIN' AS MA BROTHER AN' ME HAD TAE GO TAE SCHOOL DAY ABOOT, SINCE WE ONLY HAD THE ANE UNIFORM ATWEEN US.

WEEL, IT WIS SAE CAULD IN OOR HOOSE, THE STEAM FAE THE KETTLE USED TAE FREEZE IN MID-AIR AN' WE HAD TAE CHIP OOR WAY THROUGH IT TAE GET OOT O' THE SCULLERY.

CLINK!

CHIP!

WOULD YE JIST LISTEN TAE THIS BUNCH O' HAVERERS?

HAVE YE EVER HEARD SUCH OOT AN' OOT BLETHERS?

HAVERERS, ARE WE? BLETHERS?

WHEN I WIS WEE, MA FAITHER BLETHERED SAE MUCH, HE GOT A SPEEDING TICKET ON HIS FALSERS . . .

ME UNCLE DOAD'S TALES WERE SAE TALL YE HAD TAE STAND UP A LADDER TAE HEAR THEM . . .

MA AULD MAN HAD ENOUGH HOT AIR TAE LAUNCH A ZEPPELIN BACK AT THE KAISER . . .

WE HAD TAE OPEN OOR BIG MOOTHS!

OOR MITHER LIED ABOOT HER AGE SAE MUCH, SHE WIS YOUNGER THE DAY SHE RETIRED THAN WHEN SHE STARTED WORKIN' . . .

Mag and Daph are seein' red —
O'er who will be the first to wed?

Shug's cooking's great — ye cannae beat it —

But naebody is keen tae eat it.

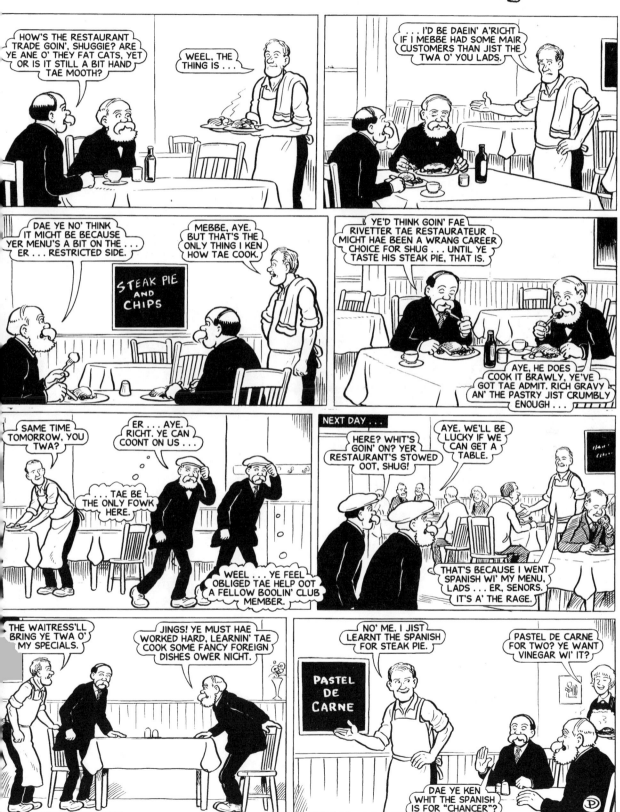

A'thegither, up they go —
Tae try and win a talent show.

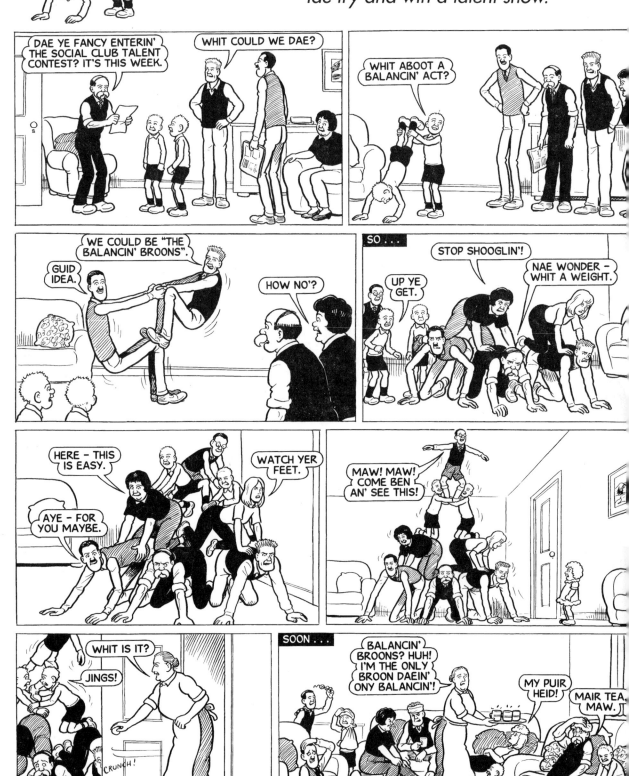

The hoose is filled wi' oodles —
An' oodles o' doodles.

MY, MY, MY . . . IS THAT NO' FASCINATIN'?

IS IT NO'? WEEL, IF YE'RE BORED WI' READIN' THAT, YE CAN HAE A SHOT O' MA MAGAZINE.

LESS TALKIN' AN' MAIR SCRIBBLIN', YOU. THIS BOOK HELPS YE TELL FOWK'S INNERMAIST SECRETS JIST FAE LOOKIN' AT WHIT THEY DOODLE.

I DINNAE KEN WHIT A DOODLE IS SO I'M JIST GONNAE DRAW A PICTER.

HEARTS? FLOOERS? I DINNAE EVEN NEED THE BOOK TAE TELL ME THAT THESE ARE THE DOODLES OF A PERSON WITH ROMANCE ON THEIR MIND.

I DRAWED A HOOSE, MEANIN' ME WAS THINKIN' O' A HOOSE.

IN FACT, THEY'RE DAPHNE'S DOODLES. HER MIND IS FULL OF ROMANTIC NOTIONS.

SPOT ON, HORACE. SEE, I WIS JIST READIN' THE MAIST WONDERFUL LOVE STORY IN MA MAG. A' ABOOT A NURSE WHA'S HEID OWER HEELS FOR A HANDSOME SURGEON, ONLY HE'S . . .

AYE. DINNAE SPOIL THE ENDIN', DAPHNE . . . ER . . . NO' THAT I'D WANT TAE READ SUCH NONSENSE . . .

VERY INTERESTIN'. THIS DOODLER HAS BIG DECISIONS TO MAKE. I SEE A MIND IN TURMOIL . . . WHICH WAY TO TURN . . . WHICH CHOICE TO MAKE . . .

I ALSO SEE HEN PACIN' THE FLOOR, SO I RECKON THIS IS HIS DOODLE.

YE'RE RICHT AGAIN, HORACE. IT'S A TOUGH DECISION I HAVE TO MAKE . . . WHETHER TAE HAE AN' INDIAN OR A CHINESE TAK' AWA' FOR MA DENNER.

LET ME SEE THIS . . .

WOW! THIS IS THE MAIST FASCINATIN' O' THE LOT. THE DOODLER FEELS TRAPPED . . . UNABLE TO ESCAPE . . . LONGING TO BREAK FREE! BUT WHO DREW IT?

JINGS! YE'RE RICHT, HORACE. THAT WIS WEE CHEEKY'S DOODLE. DAE YE THINK HE'S TELLIN' US HE DOESNAE LIKE HIS CAGE?

THE BUDGIE DID IT? TH . . . THAT'S AMAZIN'!

MAIR LIKE PAW BEIN' QUICK ON THE DRAW AN' THINKIN' O' A' WIND UP!

Granpaw doesnae think ye 'oughter' —
Spend yer cash on bottled water.

THEY'RE SELLIN' LOCAL MINERAL WATTER AT THE VILLAGE SHOP.

AYE, BUT 'N' BEN SPRINGWATTER. PURE AS IT COMES.

THAT'S GUID.

PAYIN' GUID MONEY FOR BOTTLES O' WATTER. WHAT'S IT COMIN' TAE?

BUT, GRANPAW — IT'S THE FRESHEST O' STUFF.

IT'S A GUID JOB I'VE GOT MAIR GUMPTION. A' I NEED IS HEN AN' JOE'S AULD CARTIE AN' OOR RAIN BARREL.

I KEN FINE WHAUR THE FRESHWATTER SPRING IS. I KEN THIS COUNTRY LIKE THE BACK O' MY HAND.

AND, SURE ENOUGH —

NOO WE'LL HAE GALLONS FOR FREE.

I'LL PUT THE LID ON THE BARREL, AN' IT'S DOONHILL A' THE WAY NOO!

JINGS! I FORGOT HOW HEAVY A BARREL FU' O' WATTER CAN BE.

ER, PAW, THERE'S A BARREL ON A CARTIE HEADIN' STRAIGHT FOR US.

CRASH!

AND SO —

WILL YE MANAGE TAE REPAIR THE BARREL?

AYE — MY NAME'S NO' 'COOPER' FOR NOTHIN'.

YE'D HAE BEEN CHEAPER WI' BOTTLES FAE THE SHOP.

What will fowk say —
Aboot Horace's play?

THE LOCAL SCHOOLS' DRAMA CONTEST IS COMIN' UP. I'M ENTERIN'. A' I HAVE TAE DAE IS WRITE A SHORT PLAY.

OH, AYE? THAT'S A', IS IT?

HERE WE GO. SHAKESPEARE BROON, WI' HIS, "TAE BE OR NO' TAE BE".

NOO, THIS SHOULD BE EASY ENOUGH . . . ANCE I FIGURE OOT WHIT TAE ACTUALLY WRITE ABOOT, THAT IS . . .

DINOSAURS!

YE'RE BEST TAE WRITE ABOOT WHIT YE KEN, THEY SAY, AN' YOU KEN A' ABOOT SCIENCE . . .

. . . SO WRITE A SCIENCE FICTION STORY ABOOT ALIENS FAE OOTER SPACE COMIN' DOON TAE ABDUCT OOR CHIPS FOR UNCANNY EXPERIMENTS. BLEEP! BLEEP! HIPS SIGHTED! PREPARING TO BEAM THEM UP!

LAY A FINGER ON MA CHIPS AN' YOU'LL BE ANE ALIEN THAT'S SEEIN' STARS!

ALIENS? OOTER SPACE? RUBBISH!

YE SHOULD WRITE A WESTERN. NOO, COWBOYS, THEY WERE THE BOYS! TWA-GUN-TEX, SIX-SHOOTER-SLIM . . .

ANE-PIPE-PAW!

WHIT ABOOT A HISTORICAL DRAMA, HORACE? LIKE MARY QUEEN O' SCOTS?

HMMPH! WESTERNS ARE HISTORICAL. YE NEVER SEE COWBOYS GALLOPIN' ABOOT THE STREETS THESE DAYS.

MARY QUEEN O' SCOTS? A PLAY ABOOT A WUMMIN?

NOO, YE CANNAE GET ONY MAIR HISTORICAL THAN DINOSAURS.

THAT'S IT! THAT'S EXACTLY WHIT I'LL DAE! PERFECT!

EH? WHIT? YE'VE GOT ANE?

IS IT MA SCIENCE FICTION ANE?

OF COURSE NO'! IT'LL BE MA WESTERN IDEA, I'LL BET YE!

YE KEN HOW TAE SPELL DINOSAUR, DON'T YE? D . . . I . . . N . . . N . . . E . . . R . . . S . . . A . . . W . . . R . . .

AWA' AN' GIE ME PEACE TAE WRITE IT. YE'LL A' SEE IT IF I GET INTAE THE FINALS.

URE ENOUGH . . .

WEEL, HE DID USE A' OOR IDEAS, I SUPPOSE.

AYE, AN' PLENTY MAIR BESIDES.

THIS AUDIENCE ARE FAIR FINDIN' IT FUNNY.

OOYAH! REMIND ME TAE PIT MA PIPE OOT AFORE USIN' IT TAE PLAY COWBOYS!

THEY CAME FAE OOTER SPACE TO STEAL OOR FISH SUPPERS.

DAE YE THINK IF MARY QUEEN O' SCOTS WIS A DINOSAUR SHE'D HAE GOT HER HEID CHAPPED AFF?

I WROTE ABOOT WHIT I KEN TAE MAK' MA PLAY TRUE TAE LIFE. MIND YOU, A'BODY ELSE THINKS IT'S A COMEDY!

AYE, YE CAN PIT IT OOT AN' LEAVE IT OOT, PAW GREY!

GREYS? IT'S THEY BROONS!

MAIR LIKE THEY CAME FAE OOTER SPACE TAE GET A FAT LIP, YE LANKY STREAK O' NONSENSE!

Paw's plan comes unstuck —
When he's oot for a duck.

Granpaw Broon is in disgrace —
Wi' such a shamed look on his face.

LATER . . .

Ye can smile if ye like —
At Paw Broon on a bike.

Naebody's that hot —

At knowin' what is what.

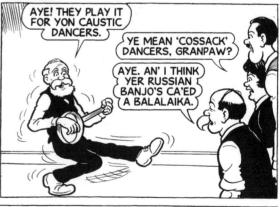

A weel-travelled bore —

Might no' help the quiz score.

Roses are rare and violets are braw —
But whit's the bonniest flooer o' a'?

Maw cannae understand —
Why family chat's no' grand.

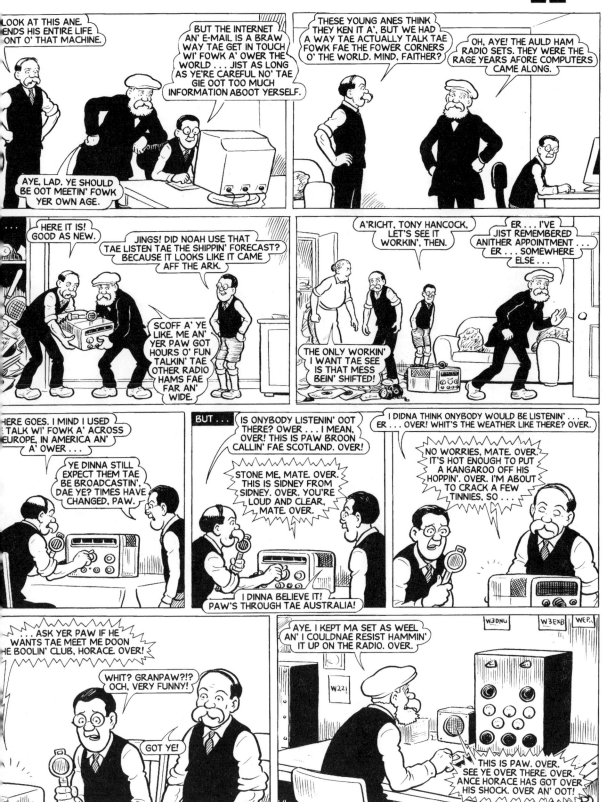

There's bound tae be rowin' —

Aboot 'wee' Joe's growin'.

Did ye ever think ye'd see —

A week wi' Paw in charge o' tea?

Somebody should put a stop —

To Granpaw visitin' the antique shop.

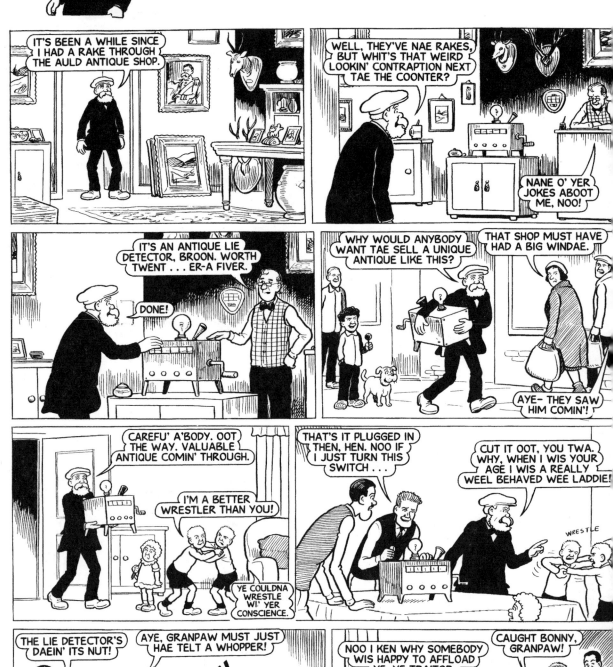

Whit a task —

Tae spot a mask.

AYE, YE'RE RICHT!

NAE DOUBT ABOOT IT!

YE RECKON?

AYE, THAE GROUCHO MARX DISGUISES DINNAE MAK' ONYBODY LOOK LIKE GROUCHO. EVEN GROUCHO WIDNAE LOOK LIKE HIMSELF IN ANE.

I DINNAE CARE, I'M DAEIN' A MARX BROTHERS ROUTINE IN THE YOUTH CLUB SHOW.

YE'LL NO' FOOL ONYBODY . . .

OOPS! SORRY, MISTER MARX!

DON'T FRET ABOUT IT, KID. YOU'VE GOT OTHER THINGS TO WORRY ABOUT . . . LIKE WHAT YOU'LL DO FOR A FACE WHEN THE WALRUS WANTS THAT ONE BACK.

. . . EXCEPT PAW, IT SEEMS.

HEE-HEE!

I WAS TA'EN UNAWARES, THAT'S A'.

A CHILD OF FOUR COULD SEE THROUGH THIS DISGUISE.

HORACE HAS GOT THE GROUCHO PATTER, A'RICHT.

QUICK! FETCH PAW A CHILD OF FOUR!

ACH! A'BODY'S A COMEDIAN!

AND . . .

ACH, DINNAE TELL ME THESE STUPID DISGUISES ARE THE LATEST DAFT CRAZE?

YE SHOULD BE ASHAMED, A GROWN MAN GOIN' ABOOT IN PUBLIC WI' THAE DAFT SPECS AN' EEDIOTIC EYEBROWS. AN' AS FOR THAT RIDICULOUS MOUSTACHE, IT DOESNAE MAK' YE LOOK A JOT LIKE GROUCH . . . OH?!

OW!

IT'S REAL!

OF COURSE IT'S REAL, YE BLITHERIN' MANIAC!

DAFT? IDIOTIC? RIDICULOUS, AM I?

TOP "MARX" TAE PAW FOR THAT ANE!

The bairns a' whisper and creep —

But still Maw's no' asleep.

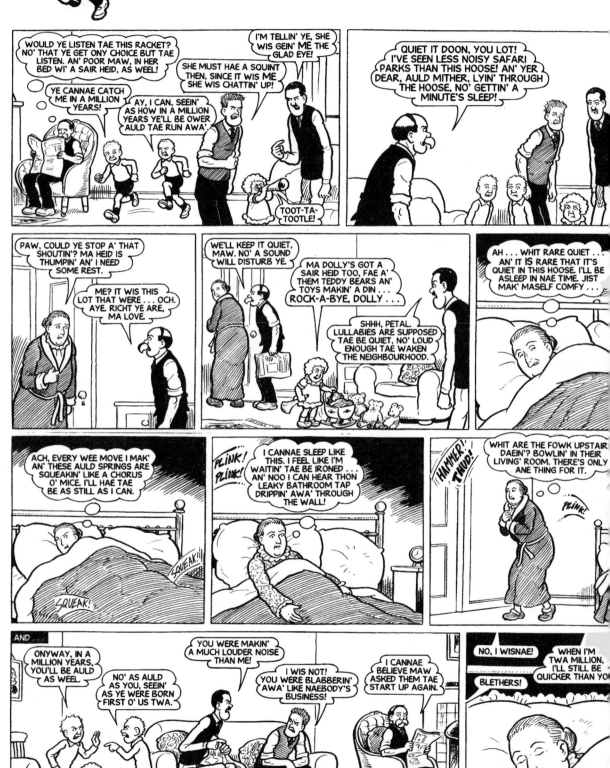

Daphne wants to cut a dash —
But it's Mag who makes a splash.

TIME TAE SPLASH OOT ON A NEW FROCK.

FASHION MODEL REQUIRED ENQUIRE WITHIN

HERE, TAK' A LOOK AT THIS.

I AYE FANCIED MASELF AS A CATWALK MODEL.

AYE BUT NAEBODY ELSE WOULD FANCY YE. LEAVE THIS TAE SOMEBODY WI' A CHANCE.

ASHION MODEL QUIRED NQUIRE WITHIN

WHY, YE CHEEKY BESOM! I CAN BE EVERY BIT THE MODEL YE COULD!

EVERY BIT AN' PLENTY MAIR LEFT OWER! YE DINNAE WANT TAE EMBARRASS YERSELF, DAPHNE.

'LL SHOW YE! 'M GOIN' FOR THAT JOB!

YE'VE NAE CHANCE! GIE UP WI' A BIT O' DIGNITY.

AND ...

THERE, GUID ENOUGH FOR THE PARIS CATWALKS!

PARIS? JINGS, IT'S LIKE PLASTER O' PARIS INSTEAD O' MAKE UP.

BUT ...

I'M SORRY, MISS. YOU'RE ... ER ... NOT QUITE WHAT WE'RE LOOKING FOR.

YOU, ON THE OTHER HAND ... JUST THE GLAMOUR AND POISE WE NEED FOR OUR NEW RANGE. MAGNIFIQUE!

ER ... NO, MAGGIE BROON.

TOUGH LUCK, DAPH. NAE HARD FEELINGS, EH? YE'RE JUST NO' CUT OOT FOR MODELLIN', BUT YE'LL STILL COME TAE THE SHOW?

AYE ... WOULDNAE MISS IT ... MUCH!

ND ...

HERE WE HAVE THE FIRST IN OUR LATEST RANGE. THE DRESSES ARE STYLISH AND FASHIONABLE ...

... AND ARE ALSO MADE OF MATERIAL THAT IS BOTH WATERPROOF AND STAIN RESISTANT, AS YOU CAN SEE.

EEK! FREEZIN'!

LUCKY MAGGIE GOT THE JOB EFTER A'. SHE DID SAY SHE LIKED TAE SPLASH OOT ON NEW FROCKS.

Paw's pleasure cannae last —
When shoppin' in the past.

A few wee squeaks —

Lead tae shrieks.

Daphne isnae slow —

At baggin' a Munro.

A tap that is dreepin' —

Stops a'body sleepin'.

Peace an' quiet? —

It's mair like a riot.

THE BROONS ARE ENJOYIN' A WEE FAMILY BREAK AT THE BUT 'N' BEN.

IT'S A RARE DAY, MAW.

RARE AN' PEACEFUL, PAW.

WEEL, MAIST O' THEM ARE ENJOYIN' IT.

HOW COULD WE NO' HAE A BUT 'N' BEN WI' INTERNET CONNECTIONS BUILT IN, EH? I WANT TAE CHECK OOT THE LATEST WEBSITES!

NEVER MIND STARIN' AT A SCREEN. CHECK OOT THE SIGHTS A' AROON YE. THERE'S THE HILLS AN' THE FOREST AN' THE LOCH . . .

. . . AN' COOS AN' SHEEP AN' NAE MEN! WHIT'S THE POINT O' DOLLIN' MASEL UP WHEN THERE'S NAEBODY AROOND TAE SEE?

A'RICHT . . . SOME O' THEM ARE ENJOYIN' IT.

I WISH YE WOULDNAE BOTHER. I'M TELLIN' YE, IT'S YOUR PERFUME THAT'S ATTRACTIN' THE MIDGES!

SURELY ANE O' THEM MUST BE ENJOYIN' IT? ONYBODY?

THAT'S IT, HEN . . . NEARLY . . . A WEE BIT HIGHER AN' WE'LL MEBBE GET A WHISPER O' A SIGNAL.

I WISH WE'D BROCHT OOR BIKES.

AYE. SO WE COULD PEDAL AWA' FAE THESE GRUMPS!

TAE THINK, WE COULD BE SAT IN THE CLUBBIE, WATCHIN' THE MATCH ON THE BIG SCREEN TELLY.

NAEBODY?

THAT'S IT! A'BODY PACK EVERYTHIN' UP!

AYE! YE'RE A' BEIN' A BUNCH O' MISERIES AN' THAT'S MAKIN' US MISERABLE ALONG WI' YE!

EH?

BUT . . .

YOU TELL 'EM, MAW!

AND . . .

EVERYBODY'S GOT THEIR STUFF PACKED AWA' BUT THERE'S NAE ROOM FOR OOR CASES, PAW.

THAT'S A'RICHT. THESE ANES CAN G BY CAR AN' WE'LL GET THE BUS AN' FOLLOW ON . . .

FOLLOW ON IN A DAY OR TWA, THAT IS, ANCE WE'VE HAD A NICE HOLIDAY WITHOOT A' THE MUMPIN' AN' MOANIN' TAE SPOIL IT!

OH, YE'RE FLY, PAW BROON. YE DIDNAE EVEN PACK OOR CASES.

SMART AULD PAW.

SO . . .

. . . AN' MAK' SURE THE TWINS GET TAE BED AT A REASONABLE HOUR AN' WE'LL SEE YE TOMORROW . . .

THAT'S THE THING ABOOT FAMILY BREAKS . . . BRAW AS THEY ARE, IT SOMETIMES DOES YE GOOD TAE GET JIST A WEE BREAK FAE YER FAMIL

RARE AN' PEACEFUL, DOLLY!

Wha's the fastest draw in toon —

Could it be auld Granpaw Broon?

What's the name —

O' Joe's new game?

There's somethin' up when mousse —
Is loose about the hoose!

Black or white — Is Paw a' right?

Hey diddle diddle —

Someone's on the fiddle.

No-one kens just what tae eat —
So Maw serves up a perfect treat.

RICHT, THAT'S THE SHOPPIN' FINALLY A' IN. I CAN GET ON WI' MAKIN' THE MINCE FOR TONIGHT, NOO.

GOODIE! ME LIKES MAW'S MINCE!

SNIFF! THAT'S NO MINCE AN' TATTIES AGAIN, IS IT? WE'RE AYE HAEIN' THAT!

ACH, IT'S NO' LIKE YE HAE IT EVERY NIGHT . . . AN' I'VE NEVER HEARD YE COMPLAININ' AFORE!

I'M UP FOR A CHANGE. I FANCY AN ITALIAN.

OOH, ME TOO. WI' THICK, DARK HAIR, SMOULDERIN' EYES AN' THON ACCENT.

YE'D BETTER WATCH WI' THON PASTA, JOE. IT'S OWER STODGY. YE'LL END UP LIKE OOR DAPHNE.

CHEEK! ONYWAY, I'M NO' WANTIN' ITALIAN FOOD. I LIKE CHINESE.

NOODLES TAE THAT! LET'S TRY THON SUSHI, FAE JAPAN.

IF IT'S RAW FISH YE WANT, THERE'S SOME FROZEN FISH FINGERS IN THE FRIDGE. JIST DINNA COOK THEM.

I RECKON YE CANNAE WHACK A GUID CURRY.

YOU WIDNAE KEN A GUID CURRY IF IT DRAPPED ON YER HEID. YE NEED IT SPICY, NO' LIKE THON MILD STUFF YOU SHOVEL DOON YER NECK!

SO, WHIT AM I GOIN' TAE COOK FOR YE A'?

CAN WE TRY GREEK?

INDIAN!

NAW, PIZZA!

NAW, LASAGNE!

STIR FRY!

WEEL, I CANNAE DAE ONYTHIN' WI' YOU LOT CROWDIN' OOT MA KITCHEN! OOT AN' I'LL SEE WHIT I CAN DAE!

THIS SHOULD KEEP YE A' HAPPY.

HOPE IT'S SWEET AN' SOOR!

NAH! A NICE, CREAMY KORMA!

KEBABS!

THE PHONE BOOK?

YE'LL FIND THE NUMBERS FOR A' THE DIFFERENT TAKE-AWA'S ROOND HERE. AN' WHILE YOU LOT ARE BUSY PHONIN' OOT FOR YER CURRIES AN' PIZZAS, ME AN' THE BAIRN'LL ENJOY OOR MINCE.

MINCE IS YUMMY.

Horace hasnae much to say —
When 'his' artwork's on display.

A 'ghost' piper's skirl —

Has Paw in a whirl.

PAW'S OOT FOR HIS CONSTITUTIONAL –

WHIT'S THAT STRANGE SOUND I'M HEARIN'? IT SEEMS NEAR BUT FAR AWA', IF YE KEN WHIT I MEAN.

THE SOUND'S LOUDER NOO! I'M HEARIN' A PIPER, BUT I CANNAE SEE HIM!

SKIRL!

THIS IS AWFY – NOO I'M HEARIN' AN INVISIBLE DRUMMER!

THAT PUB'S GOT A LOT TAE ANSWER FOR.

DRRR!

JINGS! IT'S STIRRIN' MUSIC, THOUGH. YE JUST CANNAE HELP BUT MARCHIN' ALONG TAE IT!

PAW THINKS HE'S BACK IN THE ARMY.

MAYBE I'M HEARIN' THE GHOSTLY PIPE BAND O' THE UNDERWORLD – DOOMED TAE PRACTISE FOREVER IN THEIR SUBTERRANEAN CAVERNS. HERE – WHIT'S THIS?

STOP! DINNAE GO DOON TAE JOIN THE GHOST PIPERS! YE'LL NEVER RETURN!

CALM YERSEL', PAW. COME ON, FOLLOW ME. I PROMISE YE IT'LL BE A' RICHT!

I'M NO' VERY SURE.

SURE ENOUGH –

WE'RE THE DRAIN INSPECTORS' PIPE BAND. WE LIKE TO PRACTISE IN OOR AIN WORKPLACE.

FANCY A PIECE, PAW?

ER – THANKS, BUT NO THANKS.

BEST ECHO CHAMBER IN TOON.

I HOPE I'M NO' DOON HERE FOREVER. I'M ONLY ON THE BACKSHIFT.

Hen'll go far —

In his 'company' car.

> THAT'S ME AFF TAE WORK, FOLKS.
>
> YE'RE LOOKIN' RICHT SMART, SON. YE MICHT GO FAR IN THIS NEW JOB O' YOURS.

THAT EVENIN' . . .

> ANITHER WORKIN' DAY OWER WI'. I CANNAE WAIT TAE GET HAME . . . IF THE BUS EVER BOTHERS TAE SHOW UP.

> EVENIN', PAW. BUSY BUS, IS IT NO'?
>
> PITY WE A' DINNAE GET COMPANY CARS LIKE HEN'S GOT WI' HIS NEW JOB.

> I'LL NEVER BE CRUEL TAE A SARDINE AGAIN, AFTER BEIN' SQUASHED IN LIKE THAT.
>
> HERE! LOOK AT THAT!
>
> THERE'S SOMETHIN' YE DINNAE SEE IN GLEBE STREET EVERY DAY!

> PARKED OOTSIDE OOR CLOSE, TOO. ANE O' THE NEIGHBOURS MUST HAE A DUKE COMIN' TAE TEA.
>
> IT'LL BE THON HOITY-TOITY MRS SMYTHE, ABOVE US TAE THE RICHT. HER THAT'S TOO LAH-DI-DAH TAE TAK' A TURN CLEANIN' THE STAIRS.
>
> MEBBE IT'S A HOLLYWOOD HUNK COME TAE SWEEP YE AFF YER FEET, DAPHNE.

BUT, INSIDE . . .

> AH, SO YE'VE SEEN MA NEW MOTOR, THEN?
>
> EH? THAT THING'S YOURS?

> I'LL SEE YE A' GET A WEE HURL IN IT . . . ANCE THE CHAUFFEUR'S FINISHED HIS TEA BREAK, THAT IS.
>
> A DRIVER AS WEEL?
>
> YE MUST BE MINTED IN THIS JOB O' YOURS. ER . . . YE COULDNAE SUB US TAE PAY DAY, COULD YE?

> THERE, I'M A' DONE. NOO, WHAUR DAE YE WANT ME TAE TAK' YE?
>
> YOU'RE THE DRIVER? EH? WHIT'S THIS? 'LIMO-CABS, GETTIN' YE THERE IN STYLE'.
>
> HULLO, YOU LOT. IS THERE ROYALTY VISITIN'? SHOULD I AWA' HAME AN' GET MA MEDALS ON?

> THIS BEATS THE BUS.
>
> AYE. WE NEED A CAR THIS BIG FOR A BROONS FAMILY SALOON.
>
> I SAID YE'D BE GOIN' PLACES, HEN.
>
> AYE. WHAUREVER THE PASSENGERS TELL ME TAE TAK' THEM.
>
> THEY BROONS MUST HAE WON THE LOTTERY.
>
> AYE, OR A' THEIR PREMIUM BONDS CAME UP AT ANCE . . . AN' WI' THE LOT O' THEM, THAT'D BE MAIR THAN A LOTTERY WIN!

Tired o' Scotland in the rain —
The younger ones are aff tae Spain.

Hen thinks he kens the next big thing —

A brush, a comb an' a bit o' string.

A gift has Paw excited —

But will he be delighted?

"GRANPAW'LL BE BACK FAE HIS PENSIONERS' BUS TOUR."

"IMAGINE BEIN' STUCK IN A BUS A' THE WAY ROOND EUROPE WI' THAT AULD BLAWHARD!"

"WE SHOULD STILL GO ROOND AN' WELCOME HIM BACK HAME."

"ACH, HE'LL BE OWER HERE ON THE SCROUNGE FOR A FREE FEED AFORE YE KEN IT."

"STOP BEIN' AN AULD GRUMPY HEID, PAW. GRANPAW'LL HAVE BROCHT YE BACK A BRAW PRESENT."

"WHIT? HIM? LIKE LAST YEAR'S PRESENT?"

"HE TOLD ME HE'D GOT ME A NEW SET O' PIPES."

"SEE? HANDCARVED, THAE PAN-PIPES."

"YE AULD GOWK! I CANNAE SMOKE THESE AN' I JIST THREW OOT A PERFECTLY GOOD PIPE, THANKS TAE YOU!"

AND . . .

"COME AWA' IN, YOU LOT. I WIS JIST AT MA UNPACKIN'."

"WHIT A COINCIDENCE! AN' I SUPPOSE YE'LL WANT US TAE HELP YE FLY SO-AND-SO."

"NAH. I'M NEAR DONE. THERE'S JIST THE PRESENTS FOR YOU LOT."

"WHIT? THAT? MY . . . IT'S A FAIR SIZED PARCEL . . ."

"I PACKED THEM A' UP WI' THON FOAM STUFF. WOULDNAE WANT YER PRESENTS GETTIN' BROKE. NOO, CAREFUL GETTIN' THEM HAME."

"OH, AYE? GLASS, ARE THEY? LIKE A WEE . . . WEEL, A FEW WEE BOTTLES O' SOMETHIN'?"

"HE'S PACKED THEM WEEL, RICHT ENOUGH. NAE CHANCE O' ONY BREAKAGES WI' A' THIS STUFF."

"GUID JOB, WI' THE SHOOGLIN' YE GAVE THEM, NEAR RUNNIN' HAME TAE OPEN THE PACKAGE."

"WHIT'S THIS? SNAWSTORMS? A' THAT FOR STUPID WEE SNAWSTORMS?"

"AW! AREN'T THEY BONNY, PAW? LOOK, THE EIFFEL TOWER AN' THE LEANIN' TOWER O' PISA!"

"IF IT'S SOMETHIN' BIGGER YE WANT, PAW . . ."

"ACH! THE AULD GOAT'S DONE IT TAE ME AGAIN!"

". . . HOW'S ABOOT THIS FOR A SNAWSTORM?"

Showin' aff is loads o' fun —

But women's work is never done.

Oh whit a mess —

In the lobby press.

Paw looks like a grumpy shopper —

Has poor Daphne come a cropper?

When changin' light bulbs, best beware —
There're safer ways than steps or chair.

The Bairn wants tae see —

What she'll grow up tae be.

It's time to decorate —

But Paw would rather wait.

You'll tak' a faint —

At wha's in war-paint.

RICHT, YOU LOT. I'VE GOT A BUNCH O' THE LASSIES FAE WORK COMIN' ROOND FOR A MAKE-UP DEMONSTRATION.

A LOAD O' GORGEOUS LASSIES ARE COMIN' HERE?

YUCK! LASSIES AN' MAKE UP!

BEST GET OOR GOOD DUDS ON, HEN, LAD.

AYE. AN' GET YER COATS, TOO. YE'LL BE GOIN' OOT. I'M NO' HAEIN' YOU LOT HERE, PUTTIN' ME AFF AN' COSTIN' ME SALES.

WE'LL NO' PUT YE AFF, HONEST. WE'LL BE ON OOR BEST BEHAVIOUR.

YOU TWA HAVENAE GOT ONY BEST BEHAVIOUR. YE'RE WORSE THAN A COUPLE O' CLOWNS.

BEST BEAT A RETREAT, LADS. I KEN THAT LOOK IN HER EYE. SHE'S NO' TAE BE SHIFTED.

I'M AWA' TAE MEET THE GIRLS. YOU LOT HAE HALF AN HOUR TAE MAK' YOURSELVES SCARCE.

SLUNG OOT O' MA OWN LIVIN' ROOM TAE MAK' ROOM FOR A TRIBE O' LASSIES AN' THEIR WAR PAINT!

THERE'S THINGS TAE MAK' LIPS LOOK [TH]ICKER, TAE MAK' THEM THINNER, FOR PLUCKIN' [?] EYEBROWS AN' TAE DRAW THEM BACK IN . . . CAN THEY NO' JIST MAK' UP THEIR MINDS?

LA-DI-DEE! I'M MISS MAGGIE BROON! DON'T LOOK AT ME TILL I'VE GOT THREE COATS OF COSMETICS ON MA CHOPS!

SOON . . .

. . . AND THERE'S THE NEW CLASSIQUE RANGE O' DELICATE, NATURAL COLOURS TAE TRY OOT.

THEY'RE A LOT MORE [SU]BTLE AN' LESS GARISH [T]HAN A LOT O' . . . WHIT [ON] EARTH'S THAT RACKET?

REET-DEET-DIDDLE-IDDLE-DING-DING-DING-DING . . .

SUBTLE, YE SAY?

A COUPLE O' CLOWNS? THE WHOLE LOT O' YE ARE A CIRCUS! AN' WHICHEVER O' YE IS THE RINGLEADER CAN PAY FOR A' THE MAKE-UP YE'VE WASTED!

I'M GLAD I'M WEARIN' BLUSHER SO YE CANNAE SEE HOW EMBARRASSED I'M FEELIN'.

SURE, MAGGIE. SEE, WE DIDNAE LOSE YE SALES . . . WE JIST GOT CARRIED AWA' A BIT.

Y'KNOW, I LIKE A LAD WI' A SENSE O' HUMOUR.

It's no a lunch for men —

Cheese an' bread again.

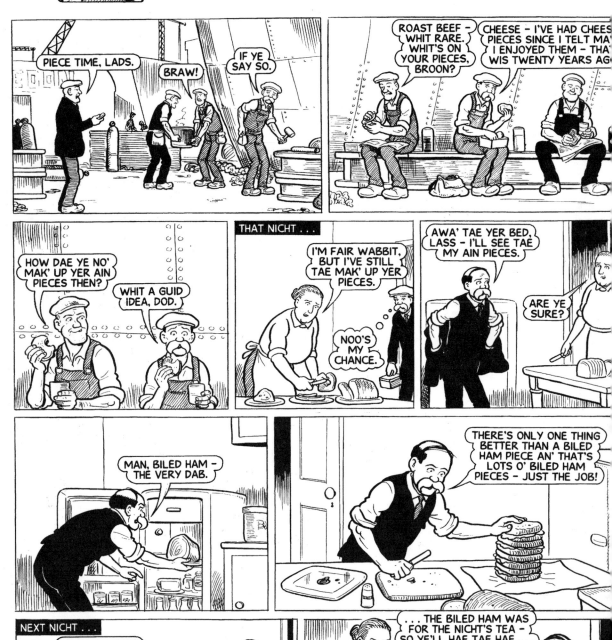

PIECE TIME, LADS.

BRAW!

IF YE SAY SO.

ROAST BEEF – WHIT RARE. WHIT'S ON YOUR PIECES, BROON?

CHEESE – I'VE HAD CHEESE PIECES SINCE I TELT MA' I ENJOYED THEM – THAT WIS TWENTY YEARS AGO.

HOW DAE YE NO' MAK' UP YER AIN PIECES THEN?

WHIT A GUID IDEA, DOD.

THAT NICHT . . .

I'M FAIR WABBIT, BUT I'VE STILL TAE MAK' UP YER PIECES.

NOO'S MY CHANCE.

AWA' TAE YER BED, LASS – I'LL SEE TAE MY AIN PIECES.

ARE YE SURE?

MAN, BILED HAM – THE VERY DAB.

THERE'S ONLY ONE THING BETTER THAN A BILED HAM PIECE AN' THAT'S LOTS O' BILED HAM PIECES – JUST THE JOB!

NEXT NICHT . . .

I FAIR ENJOYED MY PIECE THE DAY.

AYE? WELL, I HOPE YE ENJOY YER TEA AS MUCH . . .

. . . THE BILED HAM WAS FOR THE NICHT'S TEA – SO YE'LL HAE TAE HAE . . .

. . . CHEESEY PIECES – HELP MA BOAB!

Skates are the rage —

For fowk o' any age.

Spick an' span —

For a clergyman.

You've got tae watch the pence —
When dinin' wi' Eck Spence.

Poor Paw's no' half hoppin' —

'Cause he cannae go shoppin'.

Granpaw has Horace in a stew —

The brainy lad's no' got a clue.

Better beware —

O' the wheely chair.

COULD YE SHIFT THAT CHAIR, PAW? I WANT TAE VACUUM UNDERNEATH IT.

NAE BOTHER.

PECH! N-NAE BOTHER? WHIT A WEIGHT!

AYE – YE'LL HAE TAE SUP UP YER PORRIDGE.

SOON –

THAE "EEZYGLIDE CASTORS" WILL MAK' IT EASIER TAE MOVE.

CAN WE HAE FIRST SIT ON IT, PAW?

THERE – NOO A WEE SHOVE AN' AWA' . . .

. . . IT GOES – RICHT OOT O' THE DOOR! HELP MA BOAB!

STOP WHEN I'M TELLIN' YE!

WE CANNAE!

PHEW! CAUGHT IT AFORE IT GOT TAE GLEBE STREET!

WOW!

CASTORS ARE A' VERY WELL, BUT . . .

. . . THEY'RE NAE HELP GAEIN' UPSTAIRS!

THAT WIS BRAW, PAW.

CAN WE HAE ANOTHER SHOTTIE?

At chattin' up young Daphne blew it —

So Maggie shows her how to do it.

Whit's this keepin' —

A'body fae sleepin'?

Paw's gettin' grouchy wi' the strain —

But Joe's jist got Spain on the brain.

A sneaky stop —

At the butcher's shop.

IN THE BUTCHER'S –

GUID, TAM, YE'RE STILL OPEN. I WIS RUNNIN' LATE, AND I WIS FEART YE'D HAVE CLOSED.

FURTIVE!

AYE – I WIS EXPECTIN' YE, PAW.

THERE'S NAE ITHER CUSTOMERS AROOND. DAE YE HAE WHIT I ORDERED?

AYE – BEN THE BACK SHOP.

PAW COLLECTS HIS ORDER –

RICHT, PAW. I'LL LET YE OOT THE EMERGENCY EXIT – APART FRAE A CAT OR TWA THE COAST'S CLEAR.

I GOT TAM TAE MAK' ME A GIANT SAUSAGE TAE FEED A'BODY, I DINNAE WANT ONY O' THE FEMILY SEEIN' ME AN' SPOILIN' THE SURPRISE!

AT NUMBER TEN –

DUE TAE CUT-BACKS WE'RE ONLY HAVIN' WAN SAUSAGE FOR TEA THE NICHT!

WAN SAUSAGE? WE'LL STERVE!

NO, YE'LL NO – LOOK AT THE SIZE O' THIS BANGER.

PAT!

WHIT A BEAUTY!

THERE'S ONLY WAN PROBLEM, PAW BROON – WHAUR DAE WE GRILL A SAUSAGE THAT SIZE? NO' IN THIS COOKER!

ER – I HADNAE THOUGHT O' THAT!

SO, OUTSIDE –

KEEP CAWIN' THE HAUNLE!

ACH, WELL – IT MICHT BE OOR LAST CHANCE TAE HAE A BARBECUE THIS YEAR!

SILLY SAUSAGE.

What's the sting —
Wi' Joe in the ring?

ACH! THAT WIS ARCHIE MCDAID. HE WIS SUPPOSED TAE BE MA SECOND FOR THE BOXIN' BUT HE CANNAE MAK' TONIGHT'S BOUT. HE HAS TAE GO LATE NIGHT SHOPPIN' WI' HIS MITHER.

YE CANNAE BOX WITHOOT A SECOND TAE WATCH YER BACK.

NEVER YOU FEAR, THOUGH, JOE. I'LL STEP INTAE THE BREACH.

WID YE, HEN? CHEERS. ACH. YE WERE MA FIRST CHOICE FOR SECOND, REALLY.

I GOT THAT WEE TIFFANY AT THE TAILOR'S SHOP TAE MAK YE A BRAW BOXIN' ROBE, JOE . . . AN' I GOT A DATE WI' HER A' SEWED UP TOO.

LET'S SEE IT, THEN.

ARE YOU TRYIN' TAE STITCH ME UP? "JUMPIN' JOE"? I'M A BOXER, NO' A KANGAROO!

JUMPIN' JOE BROON

A' GREAT BOXERS HAE FANCY NICKNAMES. NOO, COME ON.

BEFORE THE FECHT . . .

IS IT A LEAP YEAR, JUMPIN' JOE?

DINNAE LET HIM GET YE ON THE HOP, JUMPIN' JOE!

I KENT IT! I'M A LAUGHIN' STOCK!

OND ANE . . .

BIFF!

JOE'S STARTED WEEL. HE'S JABBIN' AN' DUCKIN' . . . OH. END O' THE ROOND A'READY.

DING!

I'LL JIST GIE THE STOOL A WIPE DOON. WOULDNAE WANT JOE SLIDIN AFF IT AN' HAEIN' AN ACCIDENT.

WATCH OOT, LAD!

OCH, NAW! WHIT HAVE I DONE?

OOPS! JUMPIN' JOE SHOULD HAE SKIPPED HAEIN' A SEAT.

BANG!!

SAIR!

AND . . .

HOW DID YE GET ON AS JOE'S SECOND, THEN, HEN?

ACH! WE WERE SECOND! THOUGH I SHOULD MEBBE TAK' UP THE GLOVES, SEEIN' AS I MANAGED A KNOCK-OOT AN' I WISNAE EVEN BOXIN'!

Where would a man be —
If he forgot his key?

A computer's nae boon —
For auld Granpaw Broon.

I'M HAME . . . OH, HELLO, GRANPAW. WHAUR IS EVERYBODY AN' WHIT ARE YE DAEIN' WI' THE COMPUTER?

ER . . . YER MAW TOOK THE BAIRNS ROOND TAE YER AUNTIE MORAG'S, AN' WHIT WIS THAT YE SAID? COMPUTER, IS IT?

NAE WONDER I COULDNAE GET IT TUNED INTAE CHANNEL FOWER! I WIS LOOKIN' FOR THE NATURE DOCUMENTARY ABOOT TIGERS.

IT'S NO' A TELLY, GRANPAW . . . BUT YE CAN USE IT TAE FIND OOT A' ABOOT NATURE.

IT'S NAE USE. I'M JIST NO' UP ON THESE GADGETS AN' GIZMOS LIKE YOU YOUNG FOWK!

DINNA PIT YERSELF DOON, YE'LL LEARN, NAE BOTHER. AN' IT'LL BE FUN TAE BE COMPUTER LITERATE.

SIT DOON AN' I'LL SHOW YE HOW TAE FIND OOT STUFF ON THE WEB.

WEBS? UGH! NAH! IT'S NO' SPIDERS I WIS WANTIN' TAE KEN ABOOT. IT WIS TIGERS, I SAID. ARE YE GETTIN' HARD O' HEARIN', LADDIE?

NO, NO, NO. THESE ARE PAGES ON THE WORLD WIDE WEB. YE KNOW? THE 'NET? SEE, IF YE JIST MOVE THE MOUSE . . .

HELP! YE'VE GOT SPIDERS' WEBS AN' MICE AN' NETS . . . FU' O' FISH, NAE DOOT. IT'S LIKE A ZOO HERE AN' I'M STILL NO' SEEIN' ONY TIGERS!

ND, EFTER A LONG XPLANATION (OR TWA) . . .

HOW'S THIS O' WORKIN'? 'M DAEIN' AS YE TELT ME.

NAW! WHEN I SAID TAE CLICK YER MOUSE ON THE ONSCREEN MENU I DIDNAE MEAN HITTIN' IT ON THE SCREEN. LISTEN AN' I'LL EXPLAIN IT A' . . . AGAIN!

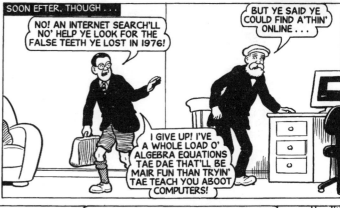

SOON EFTER, THOUGH . . .

NO! AN INTERNET SEARCH'LL NO' HELP YE LOOK FOR THE FALSE TEETH YE LOST IN 1976!

BUT YE SAID YE COULD FIND A'THIN' ONLINE . . .

I GIVE UP! I'VE A WHOLE LOAD O' ALGEBRA EQUATIONS TAE DAE THAT'LL BE MAIR FUN THAN TRYIN' TAE TEACH YOU ABOOT COMPUTERS!

UT . . .

YOUNG FOWK THINK BEIN' AULD MAK'S YE DAFT. IT JIST MEANS YE'RE AULD ENOUGH TAE KEN SOME TRICKS THEY'VE NO' LEARNT YET.

NOO TAE GET BACK TAE MA ONLINE GAME O' "VAULT ROBBER", NOO I'VE GOT RID O' MA AUDIENCE. IT'S AWFY AFF-PUTTIN' WI' FOWK AROUND THINKIN' THEY KEN BETTER AN' I'VE GOT TAE BEAT AULD SHUG MacDAID'S SCORE, OR I'LL BE THE LAUGHIN' STOCK O' THE BOOLIN' CLUB.

D.

Who'd hae thoucht the twins wid be —

At hame wi' aristocracy.

Has Granpaw been fightin'? — It's no' that exciting.

Paw's for a fall —

If Hen isnae tall.

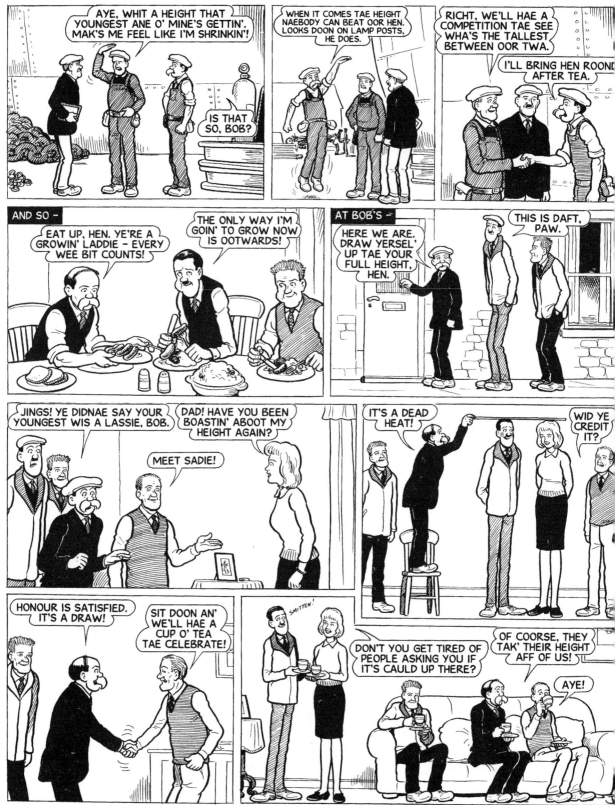

The things you see —

Stuck up a tree.

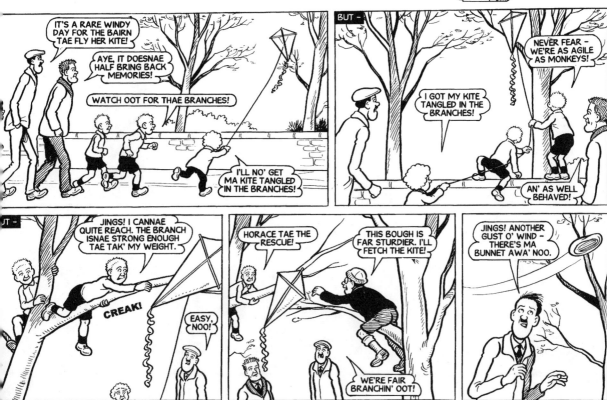

The super store is easy packin' —

But there's something that it's lackin'.

I'M AWA' TAE GET THE SHOPPIN' IN. IF I'M NO' BACK BY FOWER, PUT THE POTATOES IN THE OVEN . . . OH, AN' MIND AN' SWITCH IT ON.

HAUD ON THERE, MAW. I'LL COME WI' YE. THERE'S SOMETHIN' I WANT TAE SHOW YE.

AND . . .

WHAUR DAE YE THINK YE'RE TAKIN' ME? THE SHOPS ARE THE OTHER WAY.

GOIN' ROOND A' THEY WEE SHOPS AYE TAK'S YE 'OORS. BUT NAE MAIR . . .

MIND YOU, IT'S BEEN THAT LONG SINCE PAW WENT SHOPPIN' I'M NO' SURPRISED HE'S FORGOT.

PRICE NOW

. . . NO' WI' THIS JIST OPENED RICHT ON OOR DOORSTEP. YE'LL GET A' YER SHOPPIN' DONE IN MEENITS . . .

WEL... PRI...

PRICE-GO SAVINGS ALL WEEK

OPEN 24 HOURS

PRICE-GO GR..T OPENING WE.. SAVINGS ON ..L ITEMS

AN' CHEAPER, NAE DOOT. ONYTHIN' TAE SAVE A BOB OR TWA, YOU!

GIE IT A CHANCE. SEE? A' THE FRESH FRUIT YE COULD EVER NEED . . . HERE? WHITEVER DAE YE NEED A' THAT FRESH FRUIT FOR?

FRUIT VEG

FRUIT'S A' DAPHNE'S ALLOWED TAE EAT. SHE'S ON A DIET . . . AGAIN.

BAKERY

BREID FOR A' THE FAMILY. SLIM-SLICED FOR OOR MAGGIE, CRUSTY FOR GRANPAW MINIATURE WEE ROLLS FOR THE BAIRNS A A LANG FRENCH STICK FOR HEN. AN' WE'R' STILL SAVIN' DOUGH! GET IT? DOUGH? -

VERY FUNNY, PAW. YE SHOULD BE IN THE MUSIC HALLS.

YE CAN EVEN GET THE DAILY PAPER AN' THE TWINS' COMICS AN' YOU AN' THE LASSIES' GLOSSY MAGS.

FANCY THAT.

SAVINGS

HOME DELIVERY

A' YE' NEED AT THE ANE STOP. AN' YE JIST NEED TAE PAY ANCE.

I'LL LET YOU HANDLE THAT, PAW, SEEIN' AS HOW YE LIKE IT SAE MUCH HERE!

EXPRESS CHECKOUT

AND . . .

WHIT ARE YE HEADIN' IN THERE FOR? WE'VE GOT A' WE NEED, SURELY? THESE WEE, AULD SHOPS HAVE HAD THEIR DAY.

I DINNAE THINK SO. SEE, THERE'S ANE THING YE CANNAE GET AT THAE HYPERMARKETS . . .

. . . AN' THAT'S A RICHT GUID NATTER. AFTERNOON, MRS SINGH.

HULLO, PET, HERE, I'M GLAD YE CAME IN. HAVE YE HEARD THE LATEST? LET ME JIST PIT THE KETTLE ON . . .

HALF LOAVES 5p OFF

NAE WONDER MAW TAK'S SAE LONG AT THE SHOPS. IT LOOKS LIKE THERE'S HOURS O' GOSSIPIN' IN STORE.

Granpaw's money fae the pools —

Makes the family act like fools.

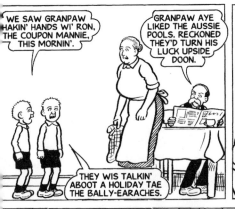

WE SAW GRANPAW SHAKIN' HANDS WI' RON, THE COUPON MANNIE, THIS MORNIN'.

GRANPAW AYE LIKED THE AUSSIE POOLS. RECKONED THEY'D TURN HIS LUCK UPSIDE DOON.

THEY WIS TALKIN' ABOOT A HOLIDAY TAE THE BALLY-EARACHES.

WHIT? SURELY HE'S NO' WON THE POOLS? HE'D HAE TOLD US.

I WIDNAE PUT IT PAST THE AULD SCUNNER TAE WIN A MINT AN' NO' SAY A WORD. I'LL GIE HIM BALEARICS!

AND . . .

HE'S NO' IN. AULD BROON WIS HEADIN' FOR THE TRAVEL AGENTS. SOMETHIN' ABOOT THE POOLS, HE SAID.

THAT SETTLES IT, THEN!

A PLEASURE DAEIN' BUSINESS WI' YE.

THERE HE IS. A' BOOKED UP FOR THE TROPICS BY THE SOOND O' IT.

HE'S AWA' INTAE THE POSH FURNITURE PLACE, NOO!

MAIST LIKELY TAE BUY A NEW THRONE. AN ARMCHAIR'LL NO' BE GUID ENOUGH FOR LORD MUCK-A-MUCK NOO!

EXT . . .

THE ESTATE AGENTS, AS WEEL? HOW MUCH HAS HE WON, TAE BE LOOKIN' AT NEW HOOSES?

LOOK AT THON IN THE WINDOW! I BET HE'S BUYIN' A MANSION!

AYE! YE CANNAE EXPECT MULTI-MILLIONAIRES TAE LIVE IN WEE COTTAGES.

AN' MILLIONAIRE'S FAMILIES SHOULDNAE BE LIVIN' UP CLOSES, EITHER! MOOCHES AFF US FOR YEARS THEN STRIKES IT RICH AN' FORGETS US A'?

WAIT TILL I SEE THAT AULD ROGUE!

ULLO, YOU TWA. WHIT'S UP WI' YOUSE?

DINNAE GIE US THAT! WE KEN WHIT YE'RE UP TAE! WHAUR'S THE POOLS MONEY?

I DINNAE KEN WHY THAT'S BOTHERIN' YE. BUT HERE IT IS. I'M JUST COLLECTIN' THE COUPON MONEY FAE RON'S CUSTOMERS WHILE HE'S AWA' VISITIN' HIS GRANDKIDS IN THE BALEARICS.

AN' TAE THINK WE THOCHT . . . OCH!

The twins play a joke —

On a suspicious bloke.

It doesnae mak' Paw smile —

When Granpaw sets the style.

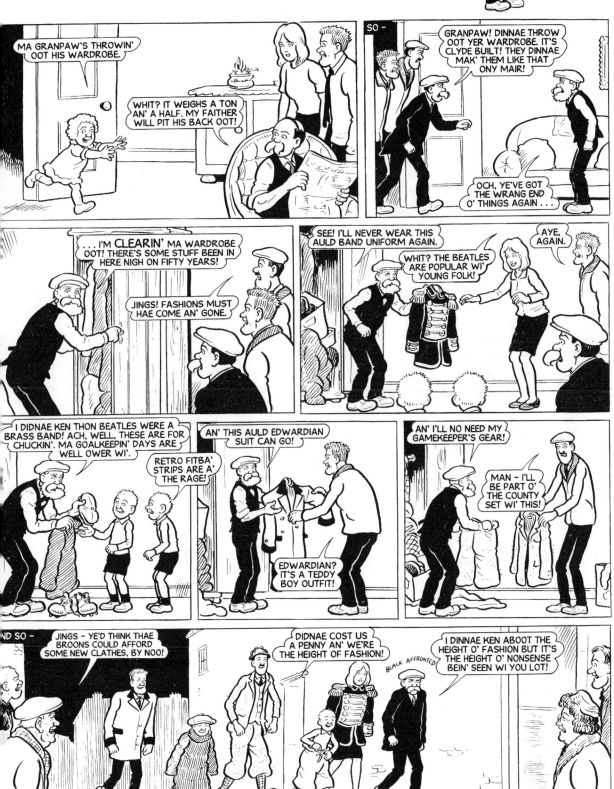

The snobs' family tree —

Fills Horace wi' glee.

When Maw comes hame the laddies fear —
She'll ruin the fitba atmosphere.

Maw's braw breakfast taste —

Is jist goin' tae waste.

The twins are like as like can be —

But which is him and which is he?

The school reunion's a great invention —

But how does Joe Broon get detention?

The twins are planning at the double —
But can they ootsmart triple trouble?

Horace hopes that auld war stories —

Will result in present glories.

Maw sure is a trier —

When she needs a new drier.

MAN, IT'S FINE TAE GET OOT O' THE RAIN, INTAE A WARM, DRY HOOSE.

WHIT DID I SAY? DRY? IT'S LIKE WE'VE GOT OOR OWN INSIDE LOCH, NOO!

I'VE BEEN TELLIN' YE FOR MONTHS THAT THIS AULD WASHER-DRIER'S NO' WORKIN' RICHT! THIS ANE DRAINS THE CLAES A' RICHT . . . A' OWER MA KITCHEN FLAIR!

WEEL, DINNAE EXPECT A NEW ANE. HAVE YE SEEN THE PRICE O' TUMBLE DRIERS? NAH, NAH. I'LL SORT THIS.

HERE? WHIT'S GOIN' ON? BLUGH!

MIND OOT, YOU. THAT'S MA BEST SUIT DRYIN' FOR THE CLUBBIE SOCIAL.

THE AULD PULLEY DID US FINE FOR YEARS AN' IT'S CHEAPER THAN AN ELECTRIC DRIER. AN', WI' THESE GOOD, HIGH CEILIN'S, YOU'RE THE ONLY ANE NEEDS TAE DUCK.

YE'LL BE DRAGGIN' OOT THE MANGLE, NEXT.

I'LL MANGLE HIM IF HE TRIES IT!

IT'S HIGH TIME PAW TOOK A TUMBLE TAE HIMSELF AN' REALISED HE CANNAE STAY HUNG UP ON HIS MEAN AULD WAYS.

LATER ON . . .

MA SUIT'LL BE DRY FOR THE NICHT, I RECKON.

I'LL GIE IT TWA SECONDS BEFORE THE YELLIN' STARTS.

A SECONDS ER . . .

AYE, I'LL HELP YE REACH . . . IF YE REACH INTAE YER POCKET AN' COUGH UP FOR A NEW WASHER AN' DRIER.

WHIT'S HAPPENIN' HERE? I CANNAE REACH MA BREEKS TAE PULL THEM DOON . . . DOON AFF THE PULLEY, I MEAN! GIE'S A HAUND, HEN!

AYE, 'CAUSE YE NEEDNAE THINK YE'RE CLIMBIN' ON MA GUID KITCHEN CHAIRS WI' YER GREAT, MUCKLE FEET!

AND . . .

THAT FAMILY O' MINE . . . I'M HUNG OOT TAE DRY AGAIN!

The Broons aye ken a way —

Tae brighten up the day.

A nicht oot is fine —
When Maw gets in line.

The bairns find circus clowns a bore —

A' the fun's been seen before.

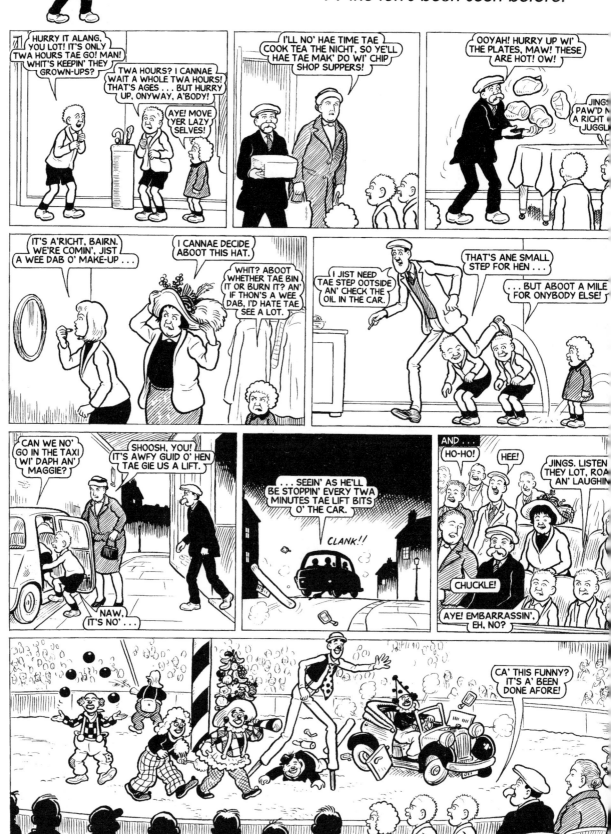

Christmas won't be pleasant —

If Granpaw gets nae present.

Even Paw stops moaning when —
    The TV comes tae Number 10.